월리스 숀의 〈지정 애도자〉

최종본, 2013년 6월, 뉴욕시

월리스 숀¹ 연극을 보러 가자
절망적이지, 내 말은
연출은 무죄
철학은 절망적.
하지만 내게는 희망이야!
이걸 이해해봐.
다음 날
새벽 카페에서
샘 쿡²의 노래를 듣다가
떠오른 것은
죽음을 두려워할 필요 없음.
터널과 빛이 있을 것이다.
두부 부리토를 주문하자.
C³가 활기차게 들어오네―
차로 갔더니
경찰이 막 견인차에
싣는 중이었다지.
샘 쿡이 입증했네.
차를 다시 주차하고
나와서 지하철로.
누가 이런 걸 신경 써?
하지만 너는 쓰지!
이걸 이해해봐.
저 아래 지하철에는
걱정스러운 안내문이 있어
페리⁴행 열차 없음,
하지만 우리는 페리가 필요해
오늘 거버너스 아일랜드⁵로 가서
예술 기지 일을 하려면.

다시 올라가기, 택시 만세.
거버너스 아일랜드에는
예술가들이 득실거리지.
그들은 대체로 22.[6]
크레용이나 물감으로
어느 빈집
벽에다 쓴다.

나는 다르다
나는 이상하다
나는 자랑스럽다

그런 것들.
윌리스는 뭐라고 할까?
윌리스는 웃겠지
그 희미한 아픈 미소.

왜냐하면

불 밝힌 터널.

나는 나

예술 기지
전에
거버너스 아일랜드는
군사 기지
사방에 대포가 있다.
터널 안에는
대포가 없을 테지,
샘 쿡이 그런
확신을 주었다.

매장(埋葬)
그때 새소리
흉내

샘(Sam)이 나쁘게 끝났다는 걸 안다.
부당했다는 걸 안다.
누가 설명할 수 있을까
인간의 역사
아니 누가 다시
깨끗하게 만들 수나 있을까?
아무도 없지.
그걸 붙들고 있지 마라.
이걸 붙잡아라.
윌리스 & 데버라 & 래리 & 앙드레
늘 같은 연극을 연습했지
매일 오후
미드타운
위층 방에서
17년인가 18년을.
나는 갔고
나는 보았고
나는 윌리스에게 물었다
왜 이런 일을 해? 그가 말했지
무엇이 먹히는지 알아내서 다시는 안 하려고.
C와 함께
우리 기지를 세우는 동안
나는 곰곰이 생각해
어제의
『지정 애도자』
사랑, 피, 파자마
작금의 경찰국가
그리고 우리 각자의

열렬한

자기애에 관한 연극. 월리스,

꼼짝도 없이 앉아

한 번은 시작에

한 번은 마지막에

종이 냅킨에

불을 붙이지.

불은 모세처럼

갑자기 멈추고는

경쾌하게

사그라들어

재. 재는

놀랍지.

죽음으로 만들어졌으나

알고 보면 즉흥.

월리스의 연극도

빛을 언급하고

(터널은 없다)—

. . . . . .

그래 그래 그래

어느 여성의 입에서

아니 어쩌면 똥구멍에서

나오는 빛

어느 쪽인지는 불명확하다. 명확함이

중요한가?

오늘 거버너스 아일랜드에서

대체로 22인

예술가들에게 둘러싸여

이 질문이

새로운 색조를 입는다.

그너의
외부
타자화하기
　　(길 위에서 / 길에서)

나는 언젠가 희곡을 써서
딱 하룻밤
공연했다
코러스로 연기한 윌리스
절대 잊지 못하리
그의 명료한
대사 표현
성말로 못 잊지
관객이
숨죽이고
지켜보는 사이
족히 5분 동안
그의 입술에서 나와
청중의 귓속으로
떨어지던
그 대사들.

A = 아프다
B = 격분
C = 무(無)

C가 우리 장비를
챙기고, 이제 다시
페리로 향할 때.
립스틱을 지우자.
윌리스가 코러스를 연기하던
그 밤이 떠오르지

나는 그에게 아주 붉은
립스틱을 쓰라 했고, 그는
몹시 좋아했다
나중에 말해주었지 덕분에
A선 지하철[7]을 타고
집으로 가는
일상이 완전히 바뀌었다고.
출발하기 전에
나는 집 주위를 돌며
적힌 문구들을 읽는다.
최고는 어떤 벽
커다란 하나의 칠판
(영어로 적힌
줄잡아 500개가 넘는
헛소리들이)
빽빽이 적힌.
그리고 두어 개는
중국어.
22일 때는
우리에게 희망을 주는 것이
심하게
(바쇼를 인용하자면)
바람을 맞는 법이다.
우리는 한때
거기 있었다.
이걸 이해해봐.

. .
내 심장
. . .
태양
. . . .
만큼 크다
. . .
크면
. . . .
좋을 텐데

¹ 월리스 숀(Wallace Shawn, 1942~)은 미국의 배우이자 성우, 코미디언, 극작가, 수필가다. 1970년대부터 희곡을 쓰기 시작해 오비상 등을 수상하기도 했다. 영화 〈토이 스토리〉 시리즈에서 렉스 역의 목소리 연기를 맡았으며, 텔레비전 시리즈 〈가십 걸〉에서 사이러스 로즈 역을 맡기도 했다. 『지정 애도자(The Designated Mourner)』는 1996년에 발표하여 런던에서 초연된 연극으로, 1997년 데이비드 헤어의 영화로도 발표되었다. 근미래 가상의 서구 국가에서 벌어지는 정치적 분쟁에 휘말린 한 지식인 가정의 파멸 과정을 그리고 있다.

² 샘 쿡(Sam Cooke, 본명은 Samuel Cook, 1931~1964)은 미국의 가수이자 작곡가, 사업가로 솔(soul) 음악을 개척하여 '솔의 왕'이라 불렸으며, 미국 흑인 민권 운동의 중심 인물이기도 했다. 서른세 살이던 1964년, 로스앤젤레스에서 묵고 있던 모텔 관리인의 총에 맞아 사망했다.

³ 저자의 두 번째 남편이자 무대 공연에서부터 책의 출간까지 다양한 활동을 공동으로 기획하고 수행하는 동료 로버트 커리(Robert Currie)를 이른다.

⁴ 맨해튼 남쪽 끝에 있는 사우스페리를 뜻한다. 맨해튼 주변 섬들로 가는 페리 선착장이 근처에 있다.

⁵ 거버너스 아일랜드(Govener's Island)는 뉴욕항 중앙에 있는 70헥타르 넓이의 섬으로 맨해튼과 브루클린 모두와 가깝다. 과거에는 군사 기지였으나 현재는 다양한 역사 유적지를 포함한 공원으로 운영되고 있다. 보존된 옛집들은 예술가들의 레지던시로 활용되며, 다양한 예술 행사가 열리는 크고 작은 공연장들이 있다.

⁶ '캐치 22(Catch 22)'라는 영어 구문에서 나온 표현이다. 캐치 22는 자기모순적이고 자기반복적인 규칙 등으로 인해 진퇴양난에 빠진 개인의 처지를 나타낸다. 제2차 세계대전을 배경으로 한 미국인 소설가 조지프 헬러의 소설 『Catch-22』에서 유래한 표현으로, 규정에 반대하기 위해서는 규정을 인정해야 하는 상황 등을 예로 들 수 있다.

⁷ 1932년에 개통된 뉴욕 지하철 노선으로 브루클린을 거쳐 할렘, 맨해튼으로 향하는 열차다. 엘라 피츠제럴드의 노래로 유명해진 빌리 스트레이혼의 스윙 재즈곡 〈Take a A Train〉이 유명하다.